Babushka

Para los niños de Southampton
Friends' Meeting - S. A. H.

A Francesco, con todo mi amor
por una vida de paz. - S. F.

Dirección colección: Cristina Concellón
Traducción: Alberto Jiménez Rioja
Coordinación producción: Elisa Sarsanedas

Publicado por primera vez en Gran Bretaña en 2002 por Barefoot Books
124 Walcot Street, Bath, BA1 5BG

© *Babushka*, versión inglesa, 2002, Barefoot Books
© texto: Sandra Ann Horn
© ilustraciones: Sophie Fatus
© versión castellana: Intermón Oxfam, Roger de Llúria, 15. 08010 Barcelona
Tel. 93 482 07 00 – Fax 93 482 07 07
E–mail: info@IntermonOxfam.org

1º edición: septiembre 2007
ISBN: 978–84–8452–480–9

Impreso en Hong Kong

Impreso en papel exento de cloro.

Babushka

Adaptación de Sandra Ann Horn

Ilustrado por Sophie Fatus

Intermón Oxfam

Hace mucho tiempo, en un lugar lejano, vivía una viejecita. Era redondita y amable como un pastel de pasas caliente y no paraba de barrer, de quitar el polvo y de sacar brillo desde que amanecía hasta que se ponía el sol.

En su casa no había ni una mota de polvo ni una sola telaraña. No paraba un momento porque en su corazón había un vacío y se ponía triste cuando pensaba en ello.

Una noche Babushka estaba puliendo sus candelabros cuando vio por la ventana una estrella, nueva y resplandeciente.

—¡Vaya, una mancha en el cristal de la ventana! —dijo Babushka—. No me había dado cuenta hasta ahora. Qué desgracia.

La estrella se escondió detrás de una nube.

Babushka se puso a frotar el cristal. Miró hacia fuera y vio un ángel en el jardín.

—¡Buenas noticias!—, cantó el ángel.

—Tendrás que limpiarte
los pies si quieres entrar
—dijo Babushka.
El ángel se alejó volando.

Llamaron a la puerta. Allí, de pie, había tres reyes con coronas de oro.

—Pasen, majestades —dijo Babushka—. Pero, por favor, despójense de sus reales botas.

—Hemos seguido a la estrella —dijeron—, porque queremos ver al nuevo niño rey. ¿Deseas venir con nosotros?

—¡No tengo tiempo para andar correteando por ahí! —respondió ella—. ¿Quién va a fregar los platos?

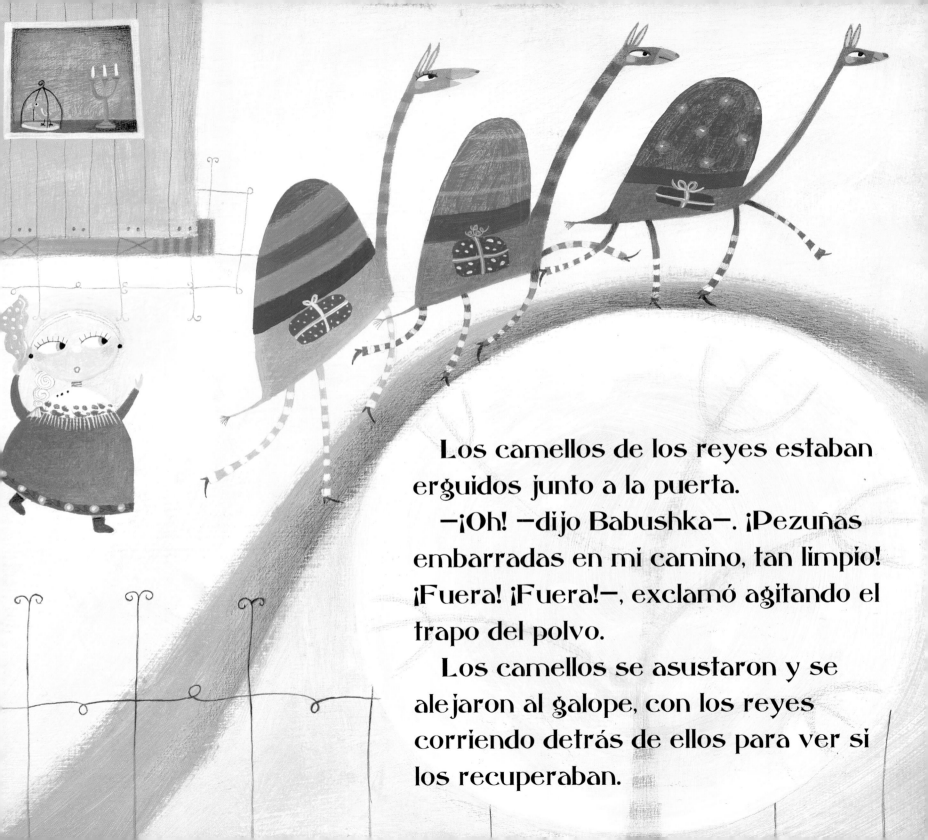

Los camellos de los reyes estaban erguidos junto a la puerta.

—¡Oh! —dijo Babushka—. ¡Pezuñas embarradas en mi camino, tan limpio! ¡Fuera! ¡Fuera!—, exclamó agitando el trapo del polvo.

Los camellos se asustaron y se alejaron al galope, con los reyes corriendo detrás de ellos para ver si los recuperaban.

—Me voy a sentar un ratito —dijo
Babushka—, antes de limpiar el canario.

En cuanto se sentó empezó a dar
cabezadas y al poco tiempo estaba
dormida.

El ángel volvió y se puso a cantar
sobre un niño nacido en un establo que
sólo tenía unos harapos en los que lo
habían envuelto.

La estrella se asomó por detrás de la nube y brilló en la ventana; su resplandor iluminó el rostro de Babushka y la despertó.

—¡Válgame! —dijo—. ¿Un niño en un establo destartalado lleno de animales? ¡Y sin un mantón calentito en el que envolverlo! Tengo que ponerme en camino inmediatamente.

Preparó una cesta con un pequeño payaso
de juguete, un mantón abrigado y una botella
de jarabe de jengibre para los adultos y echó
a andar. El cielo estaba iluminado por la
estrella como si fuese de día y atestado de
ángeles, pero Babushka no levantó la mirada.

—¡Todo este polvo en el camino!
¡Qué escándalo! —dijo.

No había llegado muy lejos cuando vio
una mujer con una niñita en la cuneta.
La niña lloraba.

—¿Qué te pasa, dulzura? —dijo
Babushka.

—Íbamos a ver al nuevo rey, y ha
perdido su muñequita —respondió la
madre.

—Me la metí en un bolsillo y debe de haberse caído —dijo la niña entre sollozos.

Babushka sacó el payaso de juguete de su cesta y lo movió como si bailara. La niña dejó de llorar y se echó a reír.

—Para ti, cielo; con todo el cariño —dijo Babushka.

Babushka no había andado mucho más cuando se encontró con una viejecilla menuda, que renqueaba y se quejaba.

—¿Qué te pasa, querida? —preguntó Babushka.

—Quiero ver al nuevo rey —respondió la anciana—, pero voy a paso de tortuga porque me duelen mucho las piernas.

—Mira —dijo Babushka—. Tómate este jarabe, con todo el cariño. Verás como te sienta de maravilla.

La anciana bebió un gran trago y se alejó trotando alegremente con una gran sonrisa en el rostro y una bendición en los labios.

Al doblar un recodo se topó con un zagal que llevaba un cordero recién nacido; estaba temblando.

—No puedo mantener el paso de los demás —dijo el chico—. ¡Siento tanto frío en los brazos que no voy a poder llevar mucho más este cordero! Es un regalo para el nuevo niño rey.

Babushka envolvió los hombros del chico con el cálido mantón que llevaba en la cesta.

—Ponte esto, con todo el cariño —dijo—. Te protegerá del frío en tu viaje.

Babushka siguió su camino. La cesta
era tan ligera como el aire: se detuvo,
miró dentro y... ¡vio que estaba vacía!
—¡Vieja tonta! —se dijo—. ¡Te has
quedado sin los regalos que llevabas!

Se dio la vuelta
tristemente para desandar
el camino. —No puedo
presentarme ante el niño
sin un regalo—, dijo.

En ese momento oyó una voz que la llamaba: —¡Babushka!

Era María.

Babushka retrocedió: —¡No traigo ningún regalo!—, respondió.

—Pasa, por favor —contestó María sonriendo.

Babushka entró y vio al niño
envuelto en su caliente mantón.
Tenía al payaso junto a él en el
pesebre, y José se servía un vaso
de jarabe.

—¡Pero si todo eso lo regalé! —dijo Babushka.

—Todo lo que se da con cariño se lo das a mi hijo también —contestó María.

Babushka miró a su alrededor.

—Fíjate qué telarañas —comentó—. Ahora mismo las limpio.

Entonces el niño extendió los brazos y sonrió. Sus ojos eran como una profunda noche estrellada y su sonrisa era el amor mismo.

Un extraño sentimiento se apoderó de Babushka. Se olvidó completamente de limpiar.

—¿Te gustaría tenerlo en brazos? —preguntó María.

Babushka lo levantó.

Todos los animales se reunieron en torno a ellos. Babushka acarició el hocico del viejo asno gris, que frotó la nariz contra la oreja de la anciana; el niño y Babushka soltaron unas risitas. La anciana abrazó al niño.

—Paz —cantaron los ángeles.

Intermón Oxfam

Intermón Oxfam somos personas que creemos en la justicia, la solidaridad y la paz, y trabajamos para cambiar este mundo. Para ello, cooperamos en **proyectos de desarrollo**, actuamos en **emergencias**, fomentamos el **comercio justo** y promovemos campañas de **sensibilización y movilización social**, sumando nuestro esfuerzo al de las otras 11 ONG de **Oxfam Internacional**. Juntos combatimos la pobreza y la injusticia.

Colabora. Participa. Opina
902 330 331 - info@IntermonOxfam.org